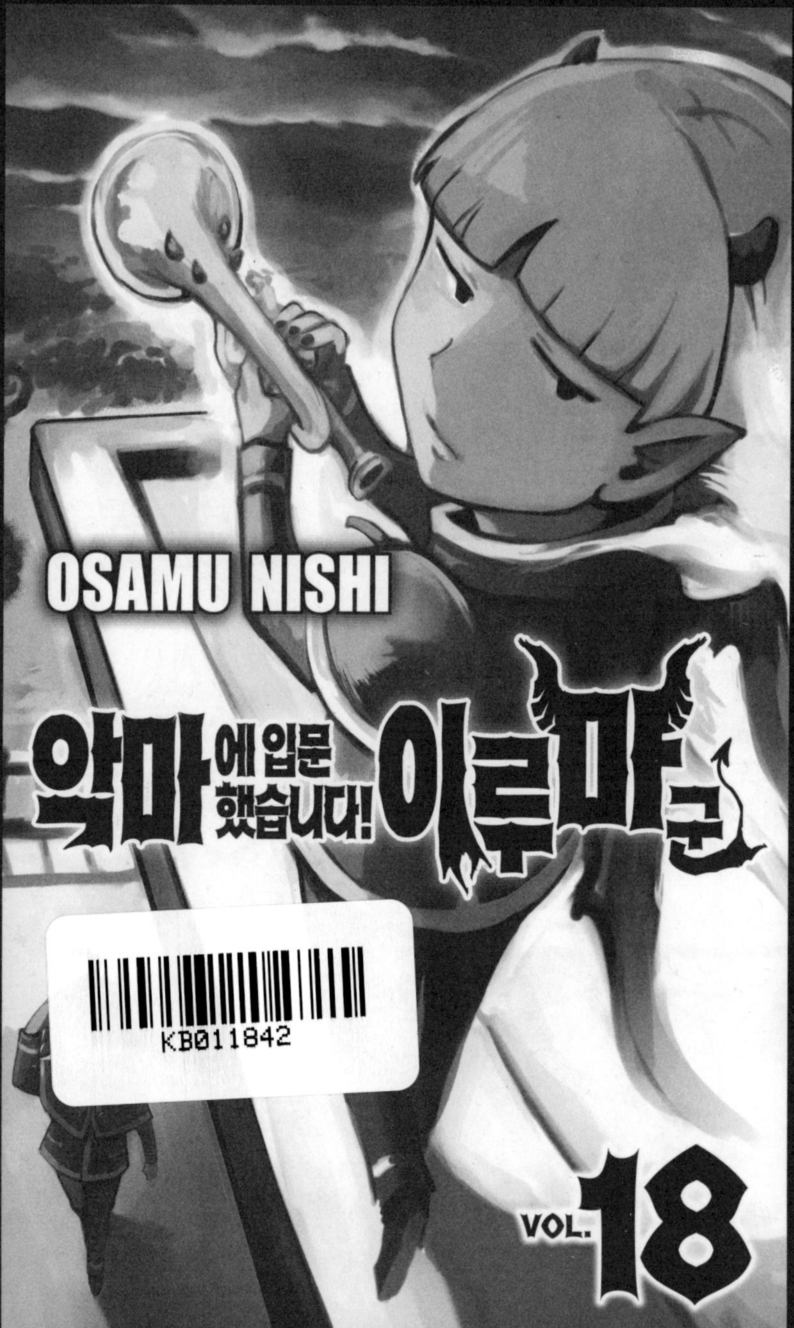
OSAMU NISHI
악마에 입문했습니다! 이루마 군
VOL. 18

& STORY

캐릭터 소개 & 줄거리

스즈키 이루마

지나치게 착해빠진 상냥한 소년. 부탁을 받으면 거절을 못 한다. 위기 회피 능력이 뛰어나다. 인간이라는 사실을 들키지 않고, 악마 학교를 평온하게 다니고 싶다.

아스모데우스 아리스

파괴와 미덕을 관장하는 가계의 악마. 입시 수석인 우등생. 입학식에서 이루마 때문에 체면을 구기고 발끈하지만, 결투로 완패한 후 이루마에게 충성을 맹세한다.

《특기 마술=화염계 주문》

발락 클라라

밝고 활기찬 여자 악마. 항상 야단법석에 조용할 때가 없어서, 주위로부터 괴짜 혹은 희귀 짐승 취급을 당한다. 이루마의 상냥함을 접하고 감동해서, 좋은 친구 중 한 명이 된다.

《가계 마술=한번 본 물건은 뭐든 주머니에서 꺼낼 수 있어!》

CHARACTERS

크로켈 케로리

정체는 마계의 인기 악마돌, 크롬!! 이지만, 학교에서는 가능한 한 조용히 지내려 한다. 본인 또한 악마돌의 광팬이다.

푸르손 소이

어브노멀 클래스의 동급생. 「인식 저해」의 가계에서 태어나, 철저하게 존재감을 지워 왔다. 트럼펫에 재능이 있다. 실은 수다쟁이.

나베리우스 카르에고

매우 엄숙한 바비루스의 교사. 어브노멀 클래스의 담임. 음습한 성격이지만, 악마로서는 매우 우수. 이루마의 사역마이기도 하다.

지금까지의 이야기

인간 말종인 부모님에 의해 악마에게 팔려버린 스즈키 이루마는 마계의 악마인 설리번의 손자가 되어 악마 학교, 바비루스에 입학한다. 인간이란 사실을 숨기는 조마조마한 학교생활을 보내면서도, 악마 친구가 늘어난 이루마는 그런 생활을 점점 즐기게 된다. 그런 바비루스에서 가장 중요한 것은 수업을 통해 마계에서의 「랭크」를 올리는 것. 이루마를 비롯한 어브노멀 클래스 학생은 학교로부터 2학년이 되기 전에 전원이 랭크 「4」가 되어야 한다는 과제를 받는다!! 이 무리한 과제를 달성하기 위해, 반드시 다음 행사 「음악제」에서 좋은 성적을 내야만 하는 문제아들. 그런 그들의 동급생 중 한 명, 이제까지 존재감을 숨겨 왔던 푸르손이 트럼펫에 재능이 있다는 걸 안 이루마는 최선을 다해 그를 음악제에 동참시키려 했고, 결국 협력 약속을 받아낸다. 과연 열세 명 전원이 함께 우승할 수 있을 것인가…?!

CONTENTS

제152화	학생회의 행진(퍼레이드)	005
제153화	지옥의 무도(헬댄스)	025
제154화	악마돌의 진수	045
제155화	마계의 피아노	065
제156화	리리스 카펫	085
제157화	친구	105
제158화	구애	129
제159화	앞으로의 미래	149
제160화	보이지 않지만	169

제152화 학생회의 행진(퍼레이드)
음악제까지
앞으로 4주!!
학생회실
원활한 행사 관리는 우리들 학생회의 소임.
그러니 너희는 1학년이 준비하는 무대에 대한 탐문 조사를 해줬으면 한다.
학생회장

둘에게
부탁하마!
지령서
교~
학생회 바트라 2학년
로노웨 로미엘
학생회 바트라 1학년
앰프시 나프라
로NO웨!!
거절
로노웨!!
?!
곳.

이 로노웨에게 어울리는 건 더 고저스한 업무!!
학생회의 수수한 잡무만 맡다니, 더는 못 해 로노웨!!
로로로~
잡무
그리고 이, 이건 뭐야?!
냄새!! 로노웨의 미의식적으로 아웃!!
푸슈
협연 NG!!
뭐 하잔 거지?!
한판 붙자는 거냐?!
고기~
뭐, 강요는 않겠다만
이건 기회다.
로?

학생들과의 교류는 학생회의 인기 업무다.
음악제를 계기로 로노웨의 이름을 1학년에게 알릴 기회라고 생각한다만….
즉…
주목받는 거야…?!
그걸 먼저 말하란 말이야!!
자아, 가자!! 나타샤!!
나교?!
음
그 전에 냄새부터 없애자.
아뇨우…
교와~.

교
단순한 녀석이구나….
대체 어떤 발표를 할까…
음악제라… 이루마는
대체… 어떤…
노래 이루마
연극 이루마
밴드 이루마
씰룩
씰룩
전부 끝내줄 것 같아!!
사랑해 사랑해
텅
다녀왔… 어머

실례~하마~!!
A반
커어엉!!
이야, 1학년 서민!!
내가 왔어!!
이쪽은 향수 범벅인 나타샤야!!
사진 촬영은 1인당 6장까지!!
뭐야 뭐야
저희는 학생회 예요
아, 학생회에서 준비 상황을 살피러 왔구나.

A반은
노래 낭독
이에요!
마계에
전해져
내려오는
일화와
이야기를
가사로….
노래로
이야기를
전달할
거예요.
게다가!
오로바스가
엄청 미성이라!
승산이 있다고
생각해~!
칭찬
그만해….
로노웨
수수하네!!
뭐?!!

더 펀치가 필요해 로노웨!
그건 수수해!
이야기도 로노웨를 칭송하는 이야기 666선으로 해!!
목소리로 풍선을 터뜨리는 건 어때?!
소품도 더해! 공중에는 장미!! 장미!! 장미!!!
자아, 다음!!
아아
죄송합니다

B반
아잇.
당신을 위해서라면 나는 이 나라도 버릴 수 있어!
안 됩니다, 공주님!!
저희는 맺어질 수 없는 운명…!!
하지만 로노웨가 왔으니 괜찮아~~!!
파찬

연극은 좋아!
라~라~라~
라~
심심한걸!!
공주와 충신의 허락되지 않는 사랑!
음!!
뭐?!!
?!
?!
갸아끄엉
아오오오
마수와 공주가 융합하는 건 어떨까?!
더 격렬하고 몸부림쳐지는 전개가 필요해 로노웨!!
불타는 왕성!! 공주와 충신의 사랑도 불타오르겠지!!

가지고
가~
다음~!!
C반
기이잉
시대는 록이야!
헛소리 마라, 이 무례한 놈!
꺼지라고, 베이비 데빌 씨.
유서 깊은 클래식이야말로 지고해!
클래식파 리더 보니
록 파 리더 개츠
샤라랑~

다투지 말고~~ 로노웨를 바라봐~♬
찬란히 빛나는 악마의 별♪
♪간주~ 패~뷸~러~스~
힘차게 전진하자♪
로노웨가 간다 (퍼레이드)
사이좋게

다들 좋아하는 로노웨의 행진
D반.
뿔 내놔, 날개 내놔, 로노웨를 칭송해~~ ~~~~♬♪
와아아아
E반.
갸아아아
회장님.
텅어엉
로노웨와 나프라가 1학년탑을 휘젓고 다니며…
시끄러워!!
매우 짜증스러운 노래를 불러댔답니다!!
…그래.

괜찮겠습니까…?
그래.
말했을 텐데?
이건 기회다.
로노웨는 1학년 학생과 그다지 접촉하고 싶어 하지 않거든….
이렇게라도 안 하면
1학년이 로노웨와 이야기를 나눌 일이 없겠지.

어째서
로노웨가
학교 안에서
그렇게 마음대로
굴 수 있다고
생각하지?
실력이
있어서다.
너희도
그건
알고 있을
텐데?
실감했을 거다.
작년 이 시기에
그래.
그 녀석이
바로……

전년도 음악제.
우승반을 이끈 남자.

랭크「5(헤)」.
로노웨 로미엘.
내 학력에 처음으로 패배를 새긴 짜증 나는 녀석이다.
1학년에게는 최고의 자극이 되겠지.

능력을 떠나 로노웨의 카리스마는 진짜배기다.
회장님….
각본
~공주와 충신~
녀석에게 영향을 받은 1학년의 무대는 분명 재미있을 게 틀림없어.
기타 × 클래식
하지만
항의가 쇄도하고 있습니다만
디리리링 디리리링
그건 그거! 어쩔 수 없다!!

쾅
여기는
이루미나티의
반이던가!
고~
음
나타샤도
그를 아나
보지?!
『로열 원』.
로노웨의
별장으로
삼으려 했는데
선수를
빼앗겼군!!
좋아!
월터 파크에서
같이 놀았다!
화려하게
어드
봐~이스를
해주기로
할까!!
덥썩
이리 오너라

고오오오...
이루….
?!!
꼬옥

제153화 지옥의 무도(헬댄스)
대…
대체 무슨 일이….
실은…
음악제에서 뭘 할지 결정하기로 했는데….

푸르손이 주목받지 않으면서
우리반 모두가 주목 받을수 있는 무대
완전 무리 아냐~?
으~음
그럼 내가 아이디어를 내놓지.
단순해.
푸르손보다 더 주목받는 게 있으면 돼.
내 화려한 불꽃을 이용하는 거지.
오오──!

화륵
그럼 내가 이걸 던질 테니
남자들은 전원 피하도록.
너무 단순한 거 아냐??!
피하는 남자를 백댄서 삼아 여자들은 노래하고, 푸르손은 연주하는 거다.
지옥도다!!
그렇게 간단히 피할 수 있겠냐!!
아~
이루마 님은 여유롭게 피하셨다!
왜 우쭐대는 건데?!
무리라고.
음악제에 목숨을 걸 순 없어!!
움찔

휘이이이이잉
너희들… 스테이지를 얕보고 있는 거야?
히익.
쩌적
움찔
목숨을… 못 걸어…?
여왕님, 진정 하십시오!!
으~음
케로리 양은 악마돌을 좋아하거든….
고오오오오오
뭐?!
왜 화내는 거야?!
화륵
발람 스승님도 말씀 하셨지….
잠깐만, 약았어!!
푸르손이 사라지려고 해!!

실전을 통해 익힐 것!
화상 입으면 내가 식혀줄게….
쿠오오오오
자아, 춤춰!!
우와아아

그…
결과….
지옥도…
흣
그래….
그럼 어브노멀 클래스는 발표를 안 하는 걸로!!
보고로노웨!!
앗—
잠깐, 잠깐, 잠깐~!!!

갸-스
그래서…
• 밴드
• 합창
• 마왕극
• 사바트
• 기타 등등
나온 아이디어가… 이거.
재미없어!!
우왓!!!
그렇게 단호하게 ……
너무 별로라서 거론할 가치도 없어! 봐! 너무 지겨워서 로노웨는 옷을 세 번이나 갈아입었다고!

너희들 ……
학생들 반응이 좋을 만한 걸 고른 거지?
움찔
그야… 학생들 반응이 별로면 못 이기잖아.
끙~
유행에 따르는 편이 낫잖아.
처억
NON! 잘 들어, 후배 서민!
얄팍한 욕망은 간파당해!!
과거의 음악제!! 학생들한테 점수 따려고 해서 우승한 반은 없어로노웨!
!!

A~E반에 비해 어때?! 나타샤!!
하아~
거 봐!!
할 거면 진심으로! 하고 싶은 걸 해야 마땅해.
악마라면
자기 욕망이 얼마나 최고인지 상대에게 과시하는 쪽으로 승부하도록!!

진정으로 즐기는 악마만이
축제의 정점에 어울려 로노웨!
후후후 후 후 후후후
엄청… 맞는 말을 하고 있어!!
로노웨 선배인데
HEY!!
이루미 나티!
너는 하고 싶은 것 없어?!
어?!
나, 나?!

뭐가 하고 싶어 로노웨?!
지그시—
으음…
나,
나는…
모두와
같이 하고 싶어….

모
모처럼 열세 명이 모였으니까…
다 같이 함께 하고… 싶어….
이, 이상입니다….
으 응….
왜 존댓말?
저는 「4」니까 이루마 님과 이미 함께군요!
응!
나도~ 친구~
흠—
음악제에서 함께 하고 싶다니, 특이한걸.
!

그런데 뭘… 함께하지? 의상 고르기?
좀 안이…하지 않나?
고통 체조는 어때?
그건 좀 그래.
…….
스…
하나.
딱 하나 …….
적당한 게 있어.
화려하고 멋지며 가장… 어려운
어
?
악마답게 금단의 댄스.

악마들을 즐겁게 해주는 악마돌.
6인조가 호흡을 딱 맞춰서 춤춘다!
그 진화형으로 탄생한 『그룹 악마돌』.
흐음~. 화려하겠네….
여…
꿀
꺽…
여섯 명이 함께… 춤춰?!
?

그렇다. 그 이름은 바로
『지옥(헬)의 무도(댄스)』.
애초에 악마는 집중을 잘 못한다.
대인원의 악마가 서로 호흡을 척척 맞춰
장시간 같은 댄스를 계속 춘다는 건…

상상을 초월하는

고
통

결국 그 춤을 춘 건 나와… 다른 한 명뿐.
나?
앗.
아니, 아, 아무튼!
6명도 실패했는데… 13명이라니,
꾸욱
솔직히 정신 나간 짓이야.
『헬 댄스』는 전원이 호흡을 맞추지 않으면 성립하지 않아.
한 명이 한순간이라도 이상하게 움직이면 무지막지하게 우스꽝스러워.
양날의 검….
자칫 잘못하면 랭크가 강등될지도 몰라….

하지만
그렇기 때문에
그것 뿐이야!!
!
무모한 짓을 벌이는 게 하루이틀도 아니고~.
음
음
하이 리스크 하이 리턴!
그것 말고는 우승을 노릴 수 없소이다!

웅성
웅성
결정된 것 같구나!
교~
음악제, 어브노멀 클래스의 무대는
『헬 댄스』.

이제 무리야.
더는 못 하겠어.
잠깐.
조금만 더….
미안해.
그럼 안녕.
제154화 악마돌의 진수
왜지! 더 연습하면 분명….
나는… 나는….
크으….

여럿이서
노래하고
춤추는
귀여운
악마돌들을
보고
싶은데——!!!
퍙

로열 원.
수많은 방 중 하나….
운동방.
그런 고로
두둥!
여러분은
악마돌이 되어줘야 겠어요!

무슨 소리야…?
우리가 하는 건 『헬 댄스』 잖아?
있잖아.
악마돌은 『퍼포먼스의 최고봉』 이야.
그야말로 매력덩어리.

스텝, 노래, 용모.
그 모든 것이 팬에게 보여지기 위해 세련되게 계산된 거야.
그러니 참고해야 하지 않겠어?
무엇보다 귀엽잖아.
흐응
아하. …즉
이렇게.
꺄
앙
꿀꺽…
또 냐…
음
이해 못 했네.

!
짠
남자 악마돌도 있다고요!!
와아아
아아아
우와~.
오오—
그렇죠?!
반짝 반짝!
미남.
짜증 나.

다들 의상은 물론이고 화장, 네일! 발끝까지 철저하게 꾸몄어요!
블랙 네일로 시크 데벨코디! 펜 라이트! 콜!
응
응
엄청 진심이네….
으음~. 하지만
이미지를 못 잡겠는걸?
응…
「자신」이 하려니 말이다.
으~~음
부끄럽소이다….
움찔
…….
부끄러워?
헉
아니, 악마돌이 되는 게 부끄럽다는 게 아니라….
지, 진정…….
좋아.

실물과 영상은
인상이 매우 차이 나긴 할 거야.
?
찰칵
잘 봐둬.
딱 한 번만 보여줄 거야.
스아…
냐앙
?!
뭐야?!

갑자기…
존재감
이…!!
좌앙
움찔
척
어때…?

악마돌은…
귀엽고

아름다우며
또한…

멋지지.

다
얏

꺄아아아아아!!!
끝내줘어어어어~!!
와아아
방금 그건 뭐야??!
꺄아
한순간 케로링이 남자로 보였어!!
흥 맞아
흥 맞아

대박! 진짜 멋졌어!!
그렇지~?
흐흥
마치 진짜 악마돌 같았어!!
헉
ㅇㅇㅇ, 아~~~~!!! 안 돼~!!
안 돼~!! 팬서비스가 과했어!!!
처억
무심코 매료시킬 뻔했네! 진짜 위험했어!!
꺄아 꺄아
아, 아무튼!
빼꼼
상상해봐.
넌 손가락을 조금 움직였을 뿐인데, 다들 환희하며 흥분하는 거야.

무지 무지~!
가슴 뛸 것 같지 않아?
꾸욱
부들 부들
악마돌, 최고네!!
소생도 춤추고 싶소이다!!
좋아!

그럼 나는 헬 댄스용 연습 마구를 조달해올게.
언니랑 클라라는 나와 함께 센터니까
꽤 연습이 혹독할 거야.
네에
우리는?
우선
「나는 멋져」라고 666번 외쳐.
멋져
우리 멋져
야 아즈아즈는 입 다물어
왜냐
자아.
연주실
음악팀은 어떤 상황일까….

자,
잘 부탁
드립니다!

따아~안
따라라 라라란
제155화 마계의 피아노
…!
이루마.
따~안

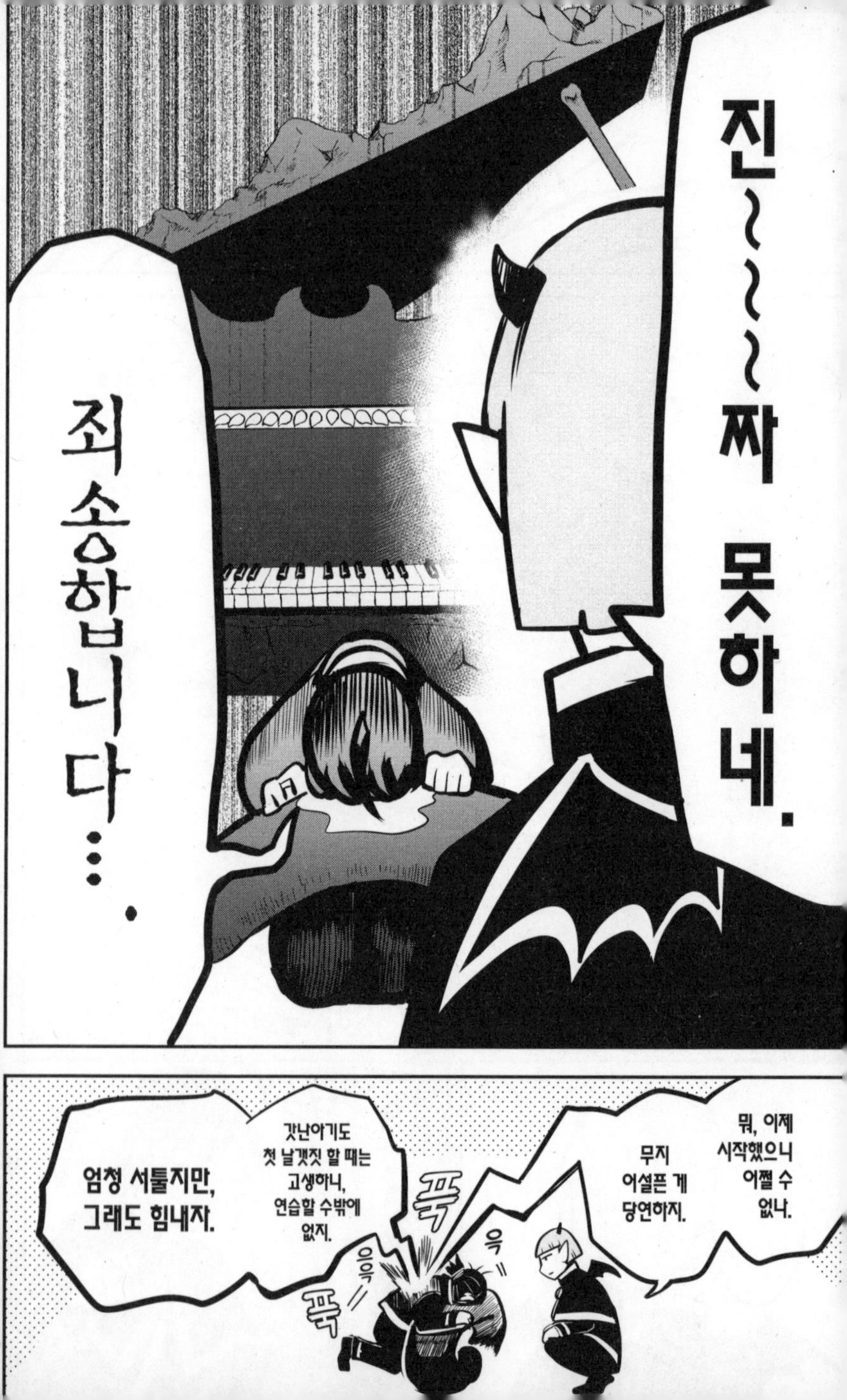
진~~~짜 못하네.
죄송합니다….
뭐, 이제 시작했으니 어쩔 수 없나.
무지 어설픈 게 당연하지.
갓난아기도 첫 날갯짓 할 때는 고생하니, 연습할 수밖에 없지.
엄청 서툴지만, 그래도 힘내자.
푹
욱
으윽
푹

더, 더 힘내야만 해….
모처럼 주어진 역할이니까…!
음악팀
댄스팀
메인 트럼펫
푸르손
서포트 피아노
이루마
총괄 케로리
팀은 둘!
다들 확인해.
잠깐! 왜 이루마 님이 서포트인 거지?!
있지!
이루마찌, 춤 잘 추는데~.
알아.
…하지만

댄스 팀에 이루마가 있으면
다들 그를 쳐다볼 거야!
이번 주역은 언니와 푸르손 씨잖아!
서포트 역할은 랭크를 올릴 필요 없는 「4」 중에서 뽑고 싶고
소리의 핵심… 피아노에 적합한 건 음감이 있으며…
음
음
푸르손 씨와 협력할 수 있고…

그리고 모두를
이끌어 갈 수 있는 악마야.
그래서 너한테 부탁하는 거야.
맡아 주겠어? 이루마 씨.

…응!
알았어!!
피아노 담당이라, 멋지네!!
적재 적소!
웅성
웅성
응
응
손가락! 힘들면 마사지 해줄게~.
이루마 씨라면 분명 멋지게 연주할 수 있을 거야!
웅성
웅성
응
응
이루마찌, 파이팅~! 의욕 뿜뿜!!
저희를 이끌어가는 역할이라니, 역시 이루마 님!!
응!!
힘낼게!!

이 느낌… 그때와 비슷해… 하지만
왜일까.
두근
두근
이렇게 가슴 뛰는 부탁을 받은 건
처음 일지도 몰라.
잘 부탁해…!
슥…
흠흠
그럼 이루마 씨는 피아노의 기본을
경험자에게 배우도록 해.
경험자?

따-아앙
좌~앙
짝
짝
짝
짝
오오오~~!!
대단해! 사브노크, 잘 치네!!!
흐흥
마왕의 소양이니라.

그대는 연주할 수 있는 노래가 있느냐?
우-음
『고양이 춤』 이라면….
으음…. 처음 듣는 노래구나.
으음. 이렇게….
뎌어엉
우왓.
아니….
갑자기 만졌으니 화내는 게 당연하지 않느냐.
우선 인사부터 하거라.
꾸벅-
?!

파지!!
그리고 오차는 있지만, 앉은 연주자에게 영향을 받아서
피아노의 형태도 변하지.
끼익…
와아!!
퍼어~엉
그대도 해보거라.
치직…
덜썩
응!!

……
?
뭐….
그대의
성격이
반영된 것
같다만,
곧
안정될
것이니라.
그
후에는
내고 싶은
소리를
이미지
하며….
슥~~~
소리가
났어!!
디-잉
소리를
이미지하면,
피아노가
쳐야 할
건반을
알려주지.
그 후에는
피아노를 치면서
감각을
익히는 것이다!
단련하고
또
단련하는
게지!!
응!
알았어!!

스승님과의
수행 덕분에…
집중력과
근성에는
자신이
있어….
하지만
포로로롱
쟈라라-
폴로로로롱
쟈쟈
쟈-양
기-잉
원하는
소리가
잘 안 나.
그리고
긴장을 풀면
또 그
뭉게뭉게
피아노가
되면서,
소리도
이상해져….
틀렸어!
나,
사브노크에게
한 번 더
조언을
듣고 올게!!

같이 있어 줄거야?
히익~~
음악은 어렵네.
더욱 연습해야겠어! 으~음, 큰일인걸….
…….
그런 것 치고는
얼굴은 웃고 있는걸.
어.
찰싹
괜찮아? 표정 근육이 망가졌어? 쉴래? 좀 눕는 게 어때?
잘래?
아냐, 아냐, 아냐.

나…
이제까지
남의 온갖 부탁을
들어줬는데…
…으음.
분명…
이번
부탁을
받고,
가슴이
뛰었어.
꾸욱
「누구라도 좋아」가
아니라,
내가 아니면
안 된다는
말을 들어서…
나…
기뻤던 것
같아.

이런 건 처음이라
힘내야지~ 생각도 했어….
…!
아니…. 당신도 같은 소리를
저한테 했거든요…?
자기가 그런 말을 했다는 자각은 없는 건가….
대단해….
뭐… 심정은 이해해….

벌써 항복하는 거야?
미안 하지만
지금 댄스팀은 바빠.
사브노크도 말이지.
뭐?! 대체 뭘….
고오오
바빠.
하지만
안심해! 나도 생각이 있어!
대체 뭘…
음악팀이라 다행이야…

너희에게 딱 맞는 강사에게!
연주 지도를 부탁해뒀어!
방긋
어…?
빨리 방으로 돌아가 봐. 이미 와있을지도 몰라.
왜냐 하면
터엉

떠러
렁

그는
……

늦어.
엄숙한 악마이기 때문이다.
빨리 자리에 앉도록, 미숙한 학생들.
짜악

부탁이에요,
카르에고
선생님.
이루마
씨에게
피아노를
가르쳐
주세요.
제156화 리리스 카펫

왜 나에게…?
과거의 음악제…. 우승자 리스트예요.
대표 나베리우스 카르에고
E반 오케스트라
마왕 조곡 제6번
발람 선생님에게도 물어봤어요!
카르에고?!
웬만한 악기는 전부 다룰 줄 알아
………
그 자식…
음악제의 역사
솔직히 저 혼자서 반 전원을 이끌 수는 없어요.
그러니
지금은 선생님의 도움이 필요해요…!
꼬옥
음악제

부디 힘을…!!
좋다.
어.
왜 그러지?
아, 아뇨…. 너무… 쉽게… 승낙해 주셔서….
——… 바비루스 교사의 마음가짐.
『항상 학생의 성장을 최우선으로 생각할 것』.
가르침을 청하는 자세는 올바르다.

파직
나는 엄숙한 교사니까 말이지.

샤세.
플로.
좌-
자장
좌앙
플로.
베르제.
콰토르.
빠바밤
빠-빠밤
빰
찰싸악
손가락 놀림이 틀렸어.
가르쳐준 대로 움직여라, 멍청아.
네엣.
찰싸악
템포가 빨라. 어레인지를 넣지 마라!
상대방에게 맞춰서 소리를 내라.
삐끽.

곡을 연주하는 건, 아직 일러.
기초의 기초부터.
파지직..
샤세, 플로! 베르제, 콰토르.
기본 음계부터 몸에 새겨라.
안심해라.
손가락이 떨어지든, 목이 찢어지든
나는 결코 네놈들을 내팽개치지 않을 거다.

6시간 연속…
헉
하아
하아
헉
힘들어….
조금은 익숙해졌나.
흥
일어나라. 다음 레슨을 시작하지.
파직
흐늘
흐느적
말도 안돼…
네놈들은 곡에 대한 이해가 압도적으로 부족해.
털썩
털썩
…뭐, 너희가 선택한 곡은…
…여러모로 문제지만 말이다.

리리스 카펫.
한때
마계에
군림한
절세의
미녀이자
매혹적인
여악마
리리스.
그녀가
지나간 길은
리리스를
차지하기 위해
다툰 남자의
사체로 메워져서,
리리스 카펫이라
불렸다.
이 곡은
리리스를 향한
찬미와 동경.
그녀를
손에 넣으려 하는
어리석은
남자들의 노래….
즉, 테마는…

『사랑』
이다.
푸읍
나도 좋아서 이야기 해주는 게 아니다.
파직
아. 죄송해요, 진짜. 그치만 카르에고 선생님 입에서 사랑이란 말이 나왔단 게 위화감이 엄청나서 웃음을 못 참, 아야야야야야.

잘 들어라.
댄스는 이야기의 배우이며,
음악은 『세계』다.
!
푸르손. 2번째 소절만 맞춰 봐라.
털썩
음악을 통해
리리스의 세계를 구축한다.
이미지
드
아
앙

쨔앙
리리스는
최고의
미녀 악마.
남자는
그녀를
갈구하며
사랑을
바치고
손에
넣고
싶어서
소망하며
구애
한다….

하지만
절대
리리스는
손에 들어오지
않는다…….
──라는…
곡인데…
알겠
느냐?
흐뭇
흐뭇
진정해
어, 엄청,
저기,
어른스럽달까!!
안 그래?!
푸르손…!!
응.
무지무지
아하…
아름답달까,
예쁘달까….

그리고 잘은 모르겠지만, 빌어먹게 싫다고 생각했어요.
네놈은 솔직하구나.
지금은 내가 만든 세계…. 실제로 연주하는 건 이루마, 네놈이다.
멍
내 흉내를 낼 게 아니라, 너 스스로의 이미지로
세계를 만들어야만 해.
끄덕 끄덕
네놈이 생각하는 리리스를 향한 구애 문구를 표현해봐라.
파직
아, 네!
구애…. 구애….

이미지.
리리스는
최고의
미녀 악마….
그녀가…
즐거워
했으면
해서
남자는
그녀
에게…

구애….

?
남자는 그녀에게…
음───…。
잠깐만, 기다려 주세요…. 다시 한 번….
구애….
구…
애….

두-웅…
몇 번을 해도… 밥을 먹으러
…간다고?!
끼기긱
이 자시이 이이익!!! 근본적인 의식 개혁이 필요한 것 같구나…!!
웃는 중
죄, 죄송합니다. 최고라는 말을 들었더니 무심코….
둘 다 집에 연락해라! 한동안 못 돌아간다고 말이다!!
흥!!
네에…

두 사람 다…
열심히 하고 있구나!
띠링…
피아노 특훈, 힘내세요! 이루마 님!
우리도 힘낼게! 붕붕!
하아….
밤샘인가….
나도 더 열심히 해야지——…!!
꼬오옥…

잘 들어라, 발락. 처음에는 오른손이다.
어느 쪽이 오른쪽인지 알지?
헉
하아—
자아, 모르겠으면 괜히 움직이지 마라.
헉
이쪽.
그래, 천재구나.
할 수 있어, 할 수 있어. 우리라면 할 수 있어.
하아—
오케이, 시스터.
렛츠
댄스!!

제157화 친구
흉내마 팔찌.
마력을 불어 넣으면 착용한 자들끼리의 움직임을 동기화한다.
원래는 마수 제어용 마도구지만, 다루는 게 어려…
워서….

자칫하면 이렇게 된다.
털썩-
우선 두세 명씩 호흡을 맞추는 연습을 하자.
네—
각각 스텝을 완벽하게 익혀.
페어표

특히…
거기 둘!
너덜…
그리하여
레츠 댄스!!
좋아. 그럼 오른쪽 부터다.
맡겨만 줘.
『로열 원』 실내 정원
쫘-자안
쫘자-안

털썩—
엥—. 이게 더 멋지잖아.
여기 각도는 60°다! 바로 이렇게!
그러니까! 여기서 몸짓이 너무 크다고 몇 번을 말해야 알겠느냐!
당기지 마라! 제대로 봐!
제대로 하고 있거든?! 갸아~ 두두~ 빠람빠빠잖아!!
의성어 쓰지 마라! 하나도 못 알아듣겠다!!
왜 못 알아듣는….

먀후루모후 같은건 모른다!!
아즈아즈… 의외로 바보잖아….
그래….
어이
방금 뭔가 무례한 생각을 했지?
털썩
아무튼 이대로는 추태만 계속 보일 뿐이다…!
이루마 님을 볼 면목이 없어!!
헉
좋아! 그럼 정찰하러 가자!!
휘유
뭐?!
어이, 기다려! 달리지 마라!!
수면실

콰안!!
자,
잘하잖아….
틀릴 순
없습니다!!
뭐?
뎡
뎡뎡

회상
뭔가 내기라도 해야 더 집중할 수 있을 겁니다.
틀리면 벌칙 게임.
오오, 승부인가요.
고오오…
그럼 틀린 사람은
자기가 가진 여학생의 정보를 털어놓기로 합시다.
가ー프
예이ー
그녀들의 이야기를 멋대로 늘어놓을 수는… 없소이다!!
터엉
사바트의 상세한 내용은 무덤까지 가지고 가겠어!!
터덩
반드시!
터어엉!!
들고 말겠어!!

질수 없어!!
유오오오오오오
다…다음…
교실
엘리자 팀
터더-엉
아아…
누님의
고동이
느껴져…!!
댄스,
댄스,
후후후
마치
단둘이서
후후후
왈츠를
추는
듯한….
불
끈

자—안
음!
이제 안정 됐구나.
끄으응…
한가운데에 거대한 놈이 있잖아…!!
리드도 잘 추지만, 사브로도 잘 추네!
음
마왕 된 자, 음감과 날개 놀림과 몸놀림이 완벽해야 하지!
대단해~♡
버럭
제가 더 누님에게 어울리거든요?!
뭐?
아니, 저기, 더 잘 가르칠 수 있단 의미에서…!!

나 데빌 댄스 레볼루션 엄청 잘해!!
오오~
잘해…
잠깐만, 그게 아니잖아!!
버럭
그러니까 더 환하게 웃으란 말이야!
좀 원만하게….
기억해야 하는 건 스텝이잖아! 표정은 아무래도 상관없지 않아?!
버럭
상관 있어!
네 얼굴은 찬란함의 원석이라고!!
뭐?!
잘 들어!

아름답게 태어난 자는 그 빛을 뿌려야 할
의무가 있어!!
두──둥
재즈 씨는! 스텝이 어설퍼!!
잠깐만!!
재한테도 웃으라고 해!
재즈 씨는 저래도 돼!
어째서야!!
진정해──
악주기인 형제가 있다면… 이런 느낌일까.
(성미가 까다로운 상대에게 익숙하다.)

벌럭 시끌 벌럭
춤추면서 싸워…
잘하네…
으~음.
다들 소란스럽긴 했지만… 뭐….
무지무지 잘 추더라니깐!
이렇게 되면 우리도… 속을 터놓고 이야기해야겠는걸.
더… 서로를 이해하기 위해서라도… 어때?
음 음
응.

그럼 나부터….
『진정해』.
으음
시, 심플해….
너는 항상 제멋대로 행동해! 너무 돌발적이란 말이다!
어ー
우리 가족 중에서는 얌전한 편인데….
거짓말 마라!!
거짓말 아니거든?!
애초에 너무 거칠어! 좀 차분하게 행동해라!
아즈아즈도 거칠거든?! 내 머리를 마구 주물러대잖아!
항상 부스스해져!
내가 아냐! 네가 너무 움직여서 잡은 것뿐이다!!
아즈아즈, 너무 외로움 타는 거 아냐?!
그런 의미에서 잡은 게 아니다!

뭐든 주워 오잖아!
발락이라고 부르잖아!
툭하면 물어 뜯잖아.
매번 답답하게 굴잖아!!
허억——
하아——
이렇게 마음이 안 맞을 줄이야….
틀렸어….
다른 애들처럼 호흡을 맞추는 건 무리일까….
벨리—딩
하아~
이루마 찌 님
보고 싶어.

응?
잠깐만.
후헤헤.
방금….
후후후…
방금 그건 좀 재미있었는걸….
하지마
톡톡
아즈 아즈~.
나 방금 큰 발견을 했어.
있지… 분명…

이루마찌가 없었으면
우리가 만날 일도 없었을 거야…….

엄청나….
있잖아….
아즈아즈…. 우리는 엄청난 행운아야.
…그래.
그리고! 우리를 만나게 해준 이루마찌는 훨씬 더 대단해!!
벌떡
그래! 맞는 말이다!!
역시 이루마 님은 우리가 못 하는 일을 해내는 분이시지!!
으흥ㅡ
우리는 그렇게 엄청난 이루마찌의 친구니까!
휙
댄스도 엄~청~ 잘해야 하지 않겠어?!
…그래.

바보
클라라.
…….
클라라
….

클라라!! 나! 응! 클라라! 클라라야! 클라라, 힘낼게요오오오오~!!
하아~. 알았다, 알았어.
히히히히. 그럼 나도 아즈아즈를
이름으로 불러야겠네. 아즈아즈의….
아즈아즈의… 이름…?
뭐지…?
어이!!
안드라고라스 였나…
멋대로 이상한 이름 붙이지마!!

마음은 안 맞아.
사고 방식도 달라.
때때로 발끈하기도 하고
다투기도 해….
하지만.
터 텅

두웅

좋아——!!!
해냈어——!!
와아
와아아아아
척
준비 오케이~!
자아, 음악팀과 합류하자!
마지막 걍~이 틀렸어 바보 클라라!!
아즈아즈도 각도가 틀렸거든?! 50°였어!

합동 연습 당일
제158화 구애
드디어 합동 연습을 하는구나~.
이루마찌의 피아노, 기대돼!
이런 거?
이런 거?
분명 대단한 연주일 테지!
덜컹
오, 음악팀이 왔네.

차자~안
오래 기다리셨습니다.

!!!
이, 이루마?!
왜 옷차림이……?!

힘내
슥…
전부터 그 사랑스러운 미소와 새의 지저귐 같은 웃음소리에 끌렸습니다.
척억…
가련하고 청순하며 그 무엇보다 아름다운 우리의 꽃….
당신을 그리며 쓴 이 러브레터.
받아 주십시오.

누님….
???!!

잠깐스톱!!
버럭
이루마, 대체 무슨 소리를 하는 거야?!! 아니, 어이! 이 배신자!!!
이루마 찌!!!
멈춰 멈춰 멈춰
어머
기뻐라♡
슥…
단,
이걸 받을지 말지는
음악이 끝난 후에 결정해주시길.
우선…

들어주십시오!!
쟈아앙...
리리스 카펫.
한 명의 미녀에게 수많은 남자가 구애하는 곡.
신성한 리리스를 누님이 연기하고, 남자들이 숭배한다.

하지만….
바르메
『작게』…?!
초반부 남자들의 구애를 이렇게 작은 소리로 연주하다니….
왜…
이런 연주를——…?!
…… 으~음.
뭐 하는 거야?
공부…?
음음…
카르에고 선생님이 『리리스에게 러브레터를 쓰는 심정으로 연주해봐라』라고 하셔서….

러브레터를 쓰고 있어!
어려워…
오늘은 참 일진이 좋은
왜 그런 결론에 도달한 건데….
리리스가 원하는 것을 더 생각해 봐라!
이런 말을 들었어….
먹을 거는 안 되겠지
안 돼
리리스가 원하는 것….
두두두
하자! 응?!
두
리리스는
남자들에게 구애를 받고 어떤 심정이었을까?

맞아!!!
누님과 푸르손 씨!
이번 주역은
기뻤을까, 곤란했을까, 아니면 싫었을까.
프레젠트 방법
우리는 리리스의 마음을 상상하며 연주하자.
카르에고 선생님도 말했어. 흉내 내기만 해선 안 된다고….
리리스유혹기
무릎을 꿇는 남성이 아니라
왜냐하면 우리가 연주할 리리스 카펫의 주역은…

리라스-!!
스읍...

비켜.
비켜.
멋지지만,
아름답지만,
가슴
뛰지 않아.

아아, 오늘도 선물의 계단과
사랑이 담긴 침대에서 잠들어.
나를 사로잡을 수 없다면
비켜줘.
아아. 더욱

불타는 듯한

사랑이 하고 싶어!!!

하아
헉

하아
하아

하아
헉…
누님….
이 러브레터….
받아
주시겠습니까?
슥…
하아…
……
좋아.
훗.

그럼 나는
네가 쓴 글자와
연애할 거니까
너와는 평생
이야기 나누지
않을 거야.
…그래도
괜찮겠어?
역시
리리스!
와
아

누님 멋져-!!
호오-!!
진짜 러브레터는 아니지??!
아니야
아직 조악하지만… 『핵심』은 파악한 것 같네요.
뭐.
출발점에는 섰나.
푸르손, 멋졌어-
연주 대박
긴장 했어-
착신
아버지
아버지
아버지
아버지
삑
삑

으음~~
자아!!
이게!!
아니,
이쪽이야.
수면실에선 일하지 말 것
와아—!
어느 걸로
할래?!
어느 걸로
할래?!
이루마 님은
어느 게
마음에
드십니까?
으~음
….
제159화 앞으로의 미래

이거
려나.
터억
강해
보여
주목
받으면
안 된다고
했잖아.
메인 말고는
무난한 검은색으로
가기로 했잖아.
이거
아~
한 사이즈
작구나
—.
음음—
사브로,
맞는
사이즈
있어?
가슴이
갑갑해
….
핀 달아도
될까.
화려한 건
저쪽 용.

빛!
여신!!
데빌
비너스!!
언니랑
어둠
...
푸르손
씨.

왜
이런 걸….
오―― 하늘하늘―
어머
귀중한
의상이거든?
주목받지
않기 위한
대책도
확실해.
「신비의 장막(시크릿 베일)」.
귀족 모임에서
얼굴을
드러내는 것을
꺼리는
귀족이 쓰는
인식 저해
마술이
걸린 천.
아지랑이
처럼
하늘하늘.

그리고 하늘거리는 베일에서 넘쳐 나오는…
그야말로 요정(픽시).
황금의 소리.
음악제에서의 임팩트는 절대적.
학생들에게 정체를 들키지 않고, 리리스의 세계관에도 맞아!
게다가?
이러면

다 같이
무대에 설 수 있어.
중 얼...
그 대신! 정체를 숨겨주는 만큼 최고의 연주를 부탁해요!
방긋―
끄덕...

그 외에는 나한테 맡겨! 미술 배경은 그 스튜디오에 의뢰하고~ 소도구도 엄청 많아. 화장은 프로를 불러서….
우리만 투자금이 어마어마 하겠어.
뭐, 제한은 없지만….
괘, 괜찮으려나….
어머
너무하다고 생각해?
하나도
안 너무해.
지식도, 돈도, 커넥션도 내가 이제까지 모아 온
재산이야.
내 노력의 결정이지.

이제까지의 내가 쌓아온 것을
이제부터의 나에게 쓰는 게 뭐 어때서?
와우~~!!
확실히…!!
이용할 수 있는 건 전부 이용해야지!
그렇죠?
나를 쳐다보며 말하지 마라.

에기 선생님도 입을래~?
됐다!!
재산….
야
손가락 근질근질해?
나도 자주 그래~.
팍
팍
아!
그럼 뭐라도 연주해줘! 기운 날 만한 걸로!!
밝은 노래가 좋아──!!
와아
픽시 리사이틀.
와야
이야─ 호강 하겠네!
휘유──!
부탁해♡
오──
으음… 그럼….

이제까지
쌓아온
것과…

이제부터….

과제
와앗!!
후아
포메이션

숙제해
과제

휙
샤세.
플로,
플로.
이렇게 연주 연습을 하는 건 처음이야….
우왁
음――….
콰도르
베르제
?
이제까지 쭉 혼자서 마음대로 불렀거든….
다른 누구와 함께 연주하는 건…
어려워….

하지만….
오늘도 이제부터 이루마와 연습하고…… 모두와는
마무리를 함께…. 리드는 또 과자 가져올까….
클라라 양의 돌격에도 주의해야….
딩동댕~

푸르손 소이.
지금 바로
교무실로
오도록.
교무실
끼익…

네 아버님 에게 온
전화다.
…….
네.
네.
……네.

찰칵…
…….
주세요.
…….
괜찮겠나?
――네.
시끌
시끌

늦네….
푸르손.
자퇴서
악마 학교 바비루스
이사장께

제160화 보이지 않지만

비밀을 캐는 건 어려운 일이 아니지.
원래 귀교에 아들을 맡긴 건
밀정으로서의 실력을 갈고 닦게 하기 위해서다.
남들 앞에 서선 보낸 의미가 없어.
본교는 항상 학생의 능력과 정신을 향상시키는 최선의 교육을 하기 위해 노력하고 있습니다.
끼익…
이번 건도 자제 분의 음악 재능과 자주성을 중시해….
자주성?

우리에게는 개인의 생각 따윈 필요없다.
그런 물러 터진 교육을 해온 건가….
아들이 귀교에 다니며 성장하는 건 무리겠지.
치직…
…그 말은
본교의 교육 방침에
이의를 제기 한다는 겁니까?
파지지직

처억…
……실례하겠습니다.
본교는 학생의 욕망을 최우선으로 여깁니다!
본인의 동의 없이는 수속을 진행할 수 없죠.
……그럼 소이를 불러 다오.
자진 퇴학이다.
내일이라도 집으로 돌아오게 하겠다.

——이에 따라
푸르손 소이는 퇴학 준비 중이다.
……윽.
말도 안 돼…!!

푸르손은… 뭐라고 했죠?
…….
「괜찮아요」 라더군.
뭐, 실제로 푸르손이 빠지면서 과제의 허들은 내려갔다.
네놈들한테 있어선 잘된 일이지.
벌떡
그…

그야…! 랭크만 보면 그렇긴 하지만!!
아니 잖아!!
이제까지 와서, 이건…!
분하… 잖아….
아무튼
…….
푸르손이 빠졌다고 네놈들까지 얼이 나가 있을 때가 아니지.
음악제까지 앞으로 닷새.
나도 네놈들의 연습만 신경 쓸 수 없다. ……지금 매우 바쁘거든.

음악제 준비와 네놈들의 지도 뿐만 아니라
행방불명된 푸르손도 찾아야 하지.
…네?
행방… 불명?
푸르손의 본가에서도 「소이는 어디 있냐」며 전화가 어마어마하게 오고 있다.
와아—
아들이 이렇게 잘 숨는 건 기뻐해야 할 일일 텐데 말이야.

즉…….
푸르손 공은
가출 중…?
웅성
어? 자기 의지로 돌아가지 않았다는 거야?
맙소사.
웅성
우리들… 괜한 소리를 한 걸까….
무, 무슨 일 있는 건…… 다쳤다거나….
웅성
뭐, 어디 있을지 짐작은 된다만…….
엇
어, 어디 인가요?!

어쩌면 좋을지…
모르는 거야.
푸르손은 분명… 음악제에 나가고 싶지만….
집으로 돌아오란 말을 듣고 쭉 혼자 고민하다
사라졌어.

어디에도 갈 수 있는 푸르손이
마지막으로 도달할…
그가 있고 싶은 장소….
휘익
보이지 않지만…
…있어.
분명 있어!

이
교실에….

꾸욱…
푸르
손!!
나는… 우리는 너와 함께
음악제에 나가고 싶어!!

맞아. 나가자! 우리…
엄청 즐거웠잖아!!
응! 외톨이는 좋지 않아!!
후우—
이루마 님과 특훈해놓고, 관둔다는 건 말도 안 되지!
맞아…!
이번 메인은 너와 나….
척

레이디를 혼자 있게 만드는 건
매너 없는 행동 아닐까?
혼자만 농땡이 부리다니, 너무한데.
소생들이 할 수 있는 일이 있다면
뭐든 하겠소이다!
신사 대 신사로서 충분히 이야기를 못 나눴지 않습니까.
이 몸이 주역을 양보했지 않느냐! 멋지게 해내주지 못하면 곤란하니라!!

행동은 생각보다 욕망에 충실한 법.
나는 네가 나온다는 쪽에 걸겠어.
제 스테이지는 열세 명이 서야만!
가장 완벽해져요!!
우리는 연습할게!!
네 연주에 지지 않도록!!

열세 명이 함께! 무대에 서기 위해서!!

좋아!
그럼 연습하자!
파이팅──!
오
오−!!
좋았어──
오──!!
괜찮아
…
분명
…

반드시…!!
그리고
음악제의
음악제 내일!
막이 오른다…!!
『악마에 입문했습니다! 이루마 군』 제⑱권/끝

읽어주셔서 정말 감사합니다.

THANK YOU FOR READING

〒102-8107　東京都千代田区飯田橋2-10-8
秋田書店 週刊少年チャンピオン編集部気付 西修先生宛

후기

대특훈!!!
18권!

음악제에 맞춰!
총력전이다!!!

음악제는 클래스 대항이라 로열 원 편 이후 처음으로 반 전체가 일치단결하는 이벤트입니다. 다른 점은 카르에고의 참가죠. 문제아들에게 강력한 도우미를 붙여줘야겠다고 생각했고, 「담임이잖아」란 이유로 그에게 한 팔 걷어붙이게 했습니다. 교직원복을 벗은 건 「학교 측」이 아니라 「학생 측」에 서면서 의식을 전환하기 위해서입니다. 채찍은 사유물이죠.

다음 권은 드디어 음악제 본편!!
푸르손이 어느 길을 선택할지
지켜봐 주셨으면 합니다…!

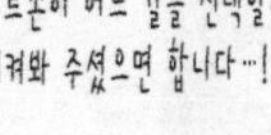

믿음직한 동료들

스태프 THANKS

· 오사이 씨
· 히로카와 료 씨
· 야하바 아야 씨
· 하타케야마 카즈타카 씨
· 코토부키 나오키 씨
· 카와사키 츄 씨
· 마이카와 세미 씨
· 아루가 요시노리 씨

감사, 또 감사

멜론과 수박을 준
상냥한 사람

· 담당자 니시야마 씨

각 화의 보너스

152화의 보너스

157화의 보너스

이루마의 네일

손가락 체조~~
!
손톱 갈라졌어
앗
추천 보수용 매니큐어
흠—
몇 시간 후.
최고급 검정색!!
취침 전에!
와아 고마워…!!
AKMA 같아!!
어울려~~
음악팀에서 다 같이 씀.
꽤 괜찮은걸
나도…

악마에 입문했습니다! 이루마 군 VOL. 18

2024년 2월 28일 제1판 제1쇄 발행
2024년 11월 30일 제1판 제2쇄 발행

작가 | OSAMU NISHI
번역 | 이승원

발행인 | 오태엽
편집팀장 | 이수춘
편집담당 | 이혜리
미술담당 | 최진주
표지 디자인 | Design Plus
라이츠사업팀 | 이은선, 박경진, 정선주, 신주은, 한승재
전략마케팅팀 | 김정훈, 이강희, 정누리, 김재철
제작담당 | 박석주

발행처 | (주)서울미디어코믹스
등록일 | 2018년 3월 12일
등록번호 | 제 2018-000021
주소 | 서울특별시 용산구 만리재로 192

인쇄처 | 코리아 피앤피